S0-BDO-807

Esther, la fée des éclairs

Vous aimez les livres de la série

Écrivez-nous pour nous faire partager
votre enthousiasme :

Pocket Jeunesse - 12, avenue d'Italie - 75013 Paris

L'ARC-EN-CIEL magique

LES FÉES DU CIEL

Esther, la fée des éclairs

Daisy Meadows

Traduit de l'anglais par Christine Bouchareine

Illustré par Georgie Ripper

Titre original :
Rainbow Magic
The Weather Fairies - Storm the Lightning Fairy

Publié pour la première fois en 2005
par Orchard Books, Londres.

Loi n° 49-956 du 16 juillet 1949 sur les publications
destinées à la jeunesse : mai 2008.

Texte © 2005, Working Partners Limited.
Illustrations © 2005, Georgie Ripper.

© 2008, éditions Pocket Jeunesse, département d'Univers Poche,
pour la traduction française et la présente édition.

La série « L'Arc-en-Ciel magique » a été créée
par Working Partners Limited, Londres.

ISBN 978-2-266-16690-4

À Abby
et Becky French,
avec toute ma tendresse.

Avec des
remerciements
tout particuliers
à Sue Mongredien.

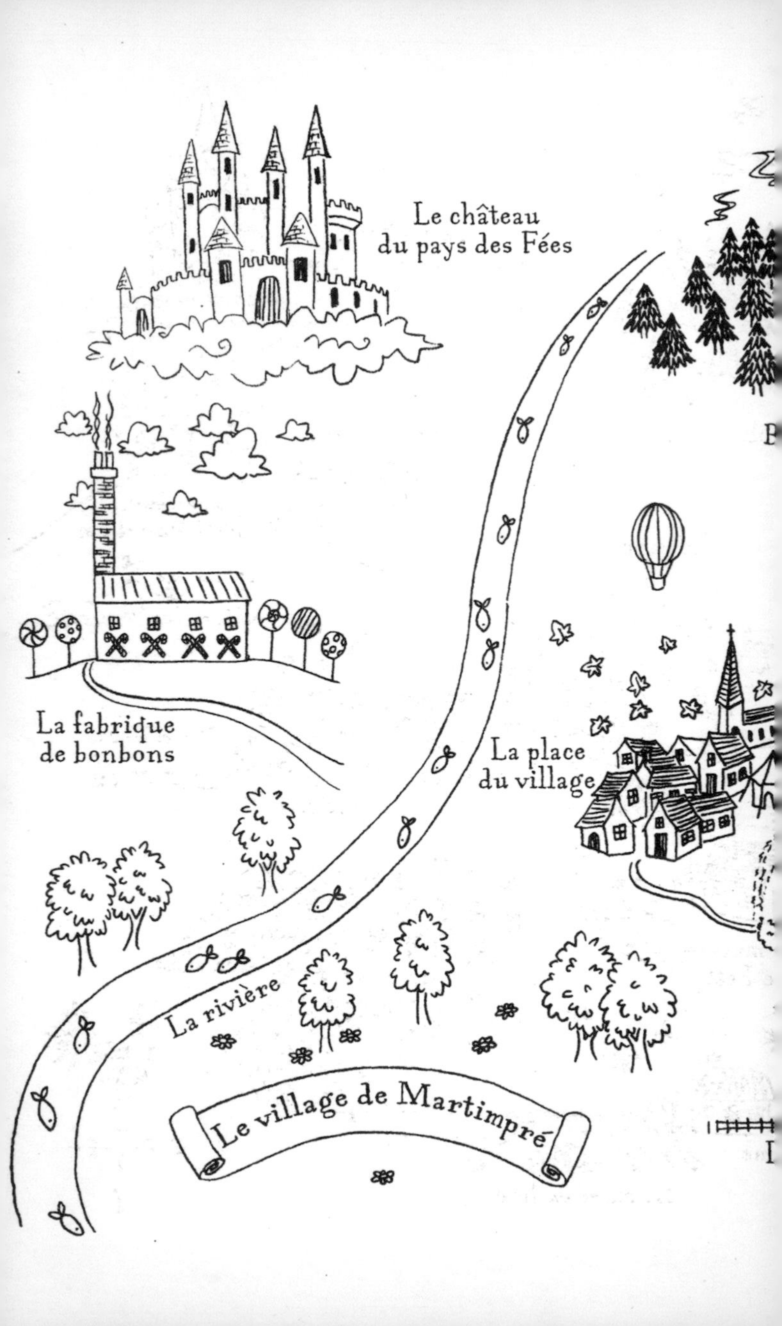
Le château
du pays des Fées
La fabrique
de bonbons
La place
du village
La rivière
Le village de Martimpré

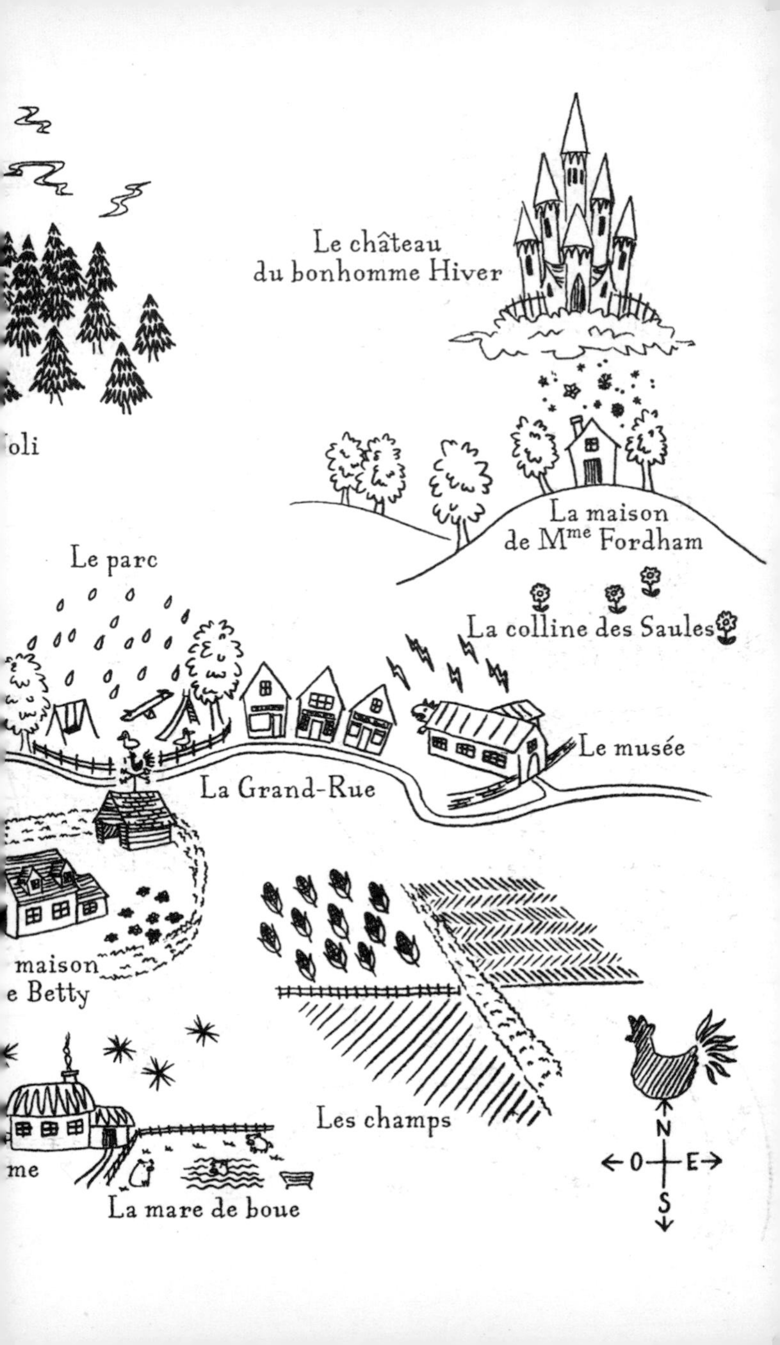

Le château
du bonhomme Hiver
oli
La maison
de Mme Fordham
Le parc
La colline des Saules
Le musée
La Grand-Rue
maison
e Betty
Les champs
N
O
E
S
me
La mare de boue

Mes vilains petits gnomes verts,
Grâce à ce sort extraordinaire
Vous voilà enfin de taille
À réaliser mon idée géniale.

Rapportez-moi les plumes du coq Cliquot
Qui servent aux fées à faire la météo
Avec elles, je sèmerai le chaos,
Ça sera cent fois plus rigolo.

De la magie dans l'air

– Je n'arrive pas à croire que les vacances se terminent demain !

Rachel Walker était venue passer une semaine chez son amie Betty Tate, à Martimpré. Et les deux filles vivaient de telles aventures qu'elles auraient voulu que ça ne s'arrête jamais.

Elles se rendaient au parc, heureuses de pouvoir enfin sortir, maintenant que le soleil était revenu.

– Je n'oublierai jamais ce séjour! soupira Betty.

– Moi non plus, répondit Rachel.

Elles avaient eu tour à tour de la neige, du vent, des nuages, un grand soleil et du brouillard. Et tout ça par la faute du bonhomme Hiver et de ses gnomes: en volant les sept plumes magiques du coq Cliquot, ils avaient complètement détraqué le temps.

Quant au pauvre coq, privé de ses pouvoirs magiques, il avait été transformé en vieille girouette. Le père de Betty l'avait trouvé par terre, dans le

parc, et l'avait planté sur le toit de sa grange.

Les fées du ciel avaient appelé les deux amies à leur secours. Bien sûr, Rachel et Betty avaient été ravies de les aider.

– Cliquot a déjà récupéré cinq plumes. J'espère que nous découvrirons les deux dernières avant ton départ, déclara Betty en poussant la grille du parc.

Alors que Rachel ouvrait la bouche pour lui répondre, elle fut interrompue par un crépitement sur les feuillages : il recommençait à pleuvoir.

Un énorme nuage violet couvrit le soleil. Le ciel s'obscurcit subitement tandis que l'averse redoublait.

– Vite ! cria Betty. Nous allons nous faire mouiller.

Elles se mirent à courir. Rachel, les mains sur la tête, avait du mal à distinguer le sentier sous ce déluge.

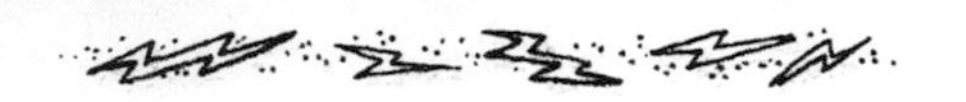

– Où nous emmènes-tu ?

– Il faut trouver un abri, haleta Betty en la tirant par la main.

– Je suis déjà trempée jusqu'aux os. Elles se blottirent sous un chêne immense non loin de l'entrée du parc, bien protégées par son épais feuillage.

– Il était temps ! frissonna Rachel en s'ébrouant. Un roulement de tonnerre ponctua ses paroles. Puis un gigantesque éclair fendit le ciel et frappa une branche au-dessus de leurs têtes.

– Oh, non, il faut nous en aller! cria Betty. C'est dangereux de rester sous les arbres pendant un orage.

– Attends ! s'écria Rachel. Regarde la branche ! Elle brille !

En effet, les feuilles scintillaient sur le ciel sombre. Et de minuscules paillettes dansaient sur l'écorce. Cela rappela à Betty les arbres ruisselants de poussière de fée qu'elles avaient remarqués au royaume des Fées.

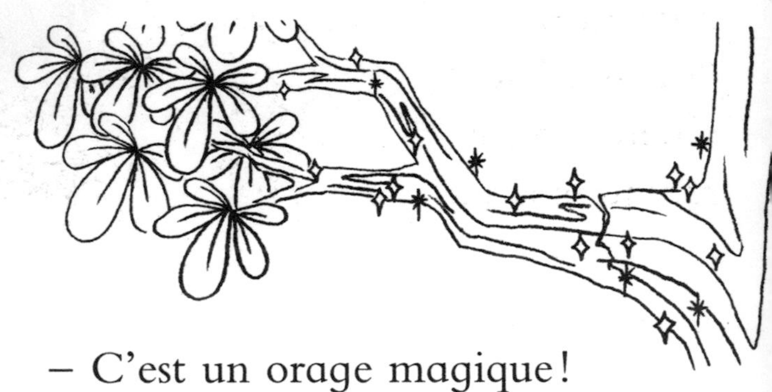

– C'est un orage magique ! s'exclama-t-elle, ravie, les yeux presque aussi brillants que les feuilles. Tu as vu le ciel, Rachel ?

Les éclairs se succédaient et des millions d'étincelles illuminaient les nuages.

– D'accord, c'est magique, mais quelle douche ! Viens. Cherchons un refuge plus sûr.

Les deux filles sortirent du parc à toutes jambes. Il faisait si sombre que les voitures avaient allumé leurs phares.

Betty montra du doigt un immeuble en brique de l'autre côté de la rue.

– Si on allait là-bas le temps que l'orage se calme ?

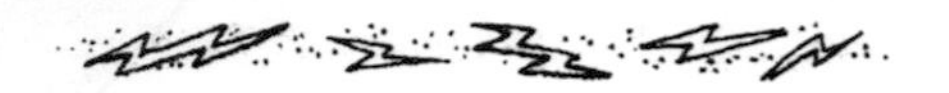

Rachel la suivit et aperçut, malgré les trombes d'eau, un petit panneau bleu qui indiquait : MUSÉE DE MARTIMPRÉ.

Elles entrèrent dans le hall et s'arrêtèrent sur le paillasson pour s'égoutter.

– Pfiou ! siffla Rachel en secouant ses cheveux trempés. Tu parles d'un orage !

– Le gnome qui a volé la plume à éclairs ne doit pas être loin, murmura Betty, soudain songeuse.

– C'est certain. Et je...

RRROOAAAR !

Rachel s'interrompit net et attrapa Betty par le bras, affolée.

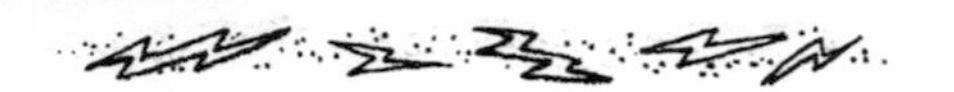

– Qu'est-ce que c'était ?

– J'ai oublié de te dire qu'il y avait une exposition sur les dinosaures, s'esclaffa Betty. On a trouvé un squelette à Martimpré, il y a très longtemps. Et le musée a fait réaliser une maquette animée. Tu vas voir.

Betty poussa une grande porte. Elles pénétrèrent dans une galerie où se trouvait déjà un groupe accompagné d'une guide.

Rachel resta bouche bée : un énorme dinosaure se dressait, menaçant, au milieu d'un bassin censé représenter une rivière. Des poissons en caoutchouc

hérissés de piquants nageaient autour de ses pattes.

– Ouah !

– Regarde ! lança Betty avec un grand sourire.

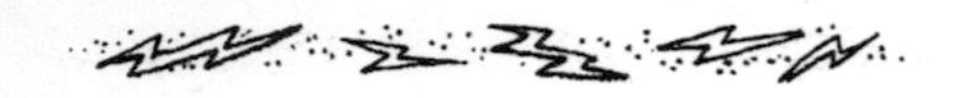

Elle appuya sur un gros bouton rouge.

Le dinosaure se pencha, saisit un poisson dans sa gueule et renversa la tête en arrière pour l'avaler.

– C'est génial ! s'exclama Rachel.

Et que se passe-t-il si on presse sur le bouton bleu ?

RROOAAAR !

– Tu as la réponse ! gloussa Betty.

L'attention de Rachel fut soudain attirée par ce que disait la guide, un peu plus loin.

– … je ne sais pas d'où sort cette vitrine sur la magie, s'étonnait la jeune femme. Je rentre de vacances, ça doit être nouveau. Peut-être a-t-on découvert qu'il y avait des fées à l'époque des dinosaures !

Les visiteurs rirent poliment.

– Quoi qu'il en soit, nous allons nous diriger vers la salle d'histoire naturelle, continua-t-elle. Par ici, s'il vous plaît…

Rachel et Betty s'approchèrent. Debout sur la pointe des pieds, elles crurent apercevoir par-dessus la tête des visiteurs une minuscule silhouette.

Pendant que le groupe quittait la salle, un nouveau roulement de tonnerre retentit, suivi d'un éclair

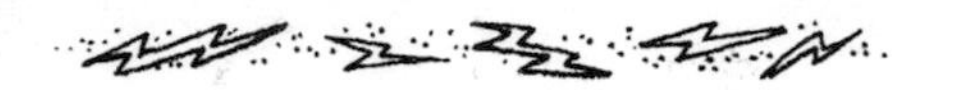

éblouissant. Une fois de plus, le ciel parut briller de mille feux. Et d'un coup, toutes les lumières du musée s'éteignirent !

– Mon Dieu ! Une coupure de courant ! s'exclama la guide. Suivez-moi, je crois qu'il y a des lampes de poche dans le placard, là-bas.

Rachel et Betty attendirent que tout le monde soit parti et s'avancèrent vers la vitrine. À l'intérieur, une fée étincelante agitait frénétiquement les bras dans leur direction !

Rachel en danger

– C'est Esther, la fée des éclairs !

Rachel s'empressa d'ouvrir la porte vitrée.

Esther poussa un soupir de soulagement.

– Bonjour ! Que je suis contente de vous voir !

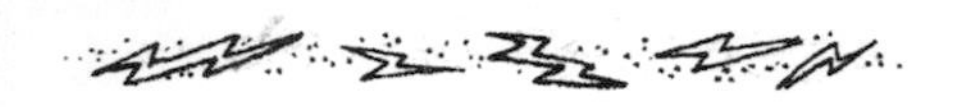

Elle avait de longs cheveux platine et portait une superbe combinaison ainsi qu'un petit éclair en pendentif autour du cou. De minuscules éclairs jaillissaient de sa baguette à chacun de ses mouvements.

– Bonjour, Esther, la salua Betty alors qu'elle s'envolait de la vitrine. On se demandait où tu étais passée. Qu'est-ce que tu fabriquais là-dedans ?

– Je me suis fait enfermer par le gnome qui a volé ma plume. Il rôde quelque part dans le musée. Vous avez vu cet orage qu'il a déclenché ? Je vous en prie, aidez-moi à le retrouver avant qu'il ne provoque une catastrophe !

– C'est vrai qu'il est dangereux, acquiesça Rachel. Tout à l'heure, la foudre a frappé une branche juste au-dessus de nos têtes.

Esther parut si contrariée que Betty tenta aussitôt de la rassurer.

– Mais c'était un très bel éclair, Esther. Vraiment éblouissant !

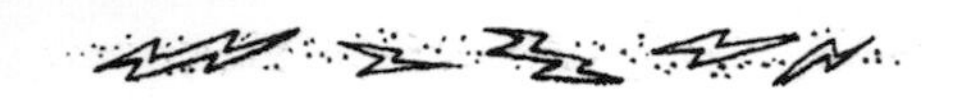

Ester sourit tristement.

– N'empêche qu'il faut que je récupère ma plume avant que ce méchant gnome ne fasse d'autres dégâts. Ces affreux n'ont aucune idée...

Esther s'arrêta en pleine phrase, affolée.

– On vient ! C'est peut-être lui. Cachez-vous !

Les deux filles se plaquèrent contre le mur et Esther se tapit sous les cheveux de Betty. À moitié dissimulées par une vitrine, elles scrutèrent

toutes les trois l'obscurité. Le tonnerre grondait et le cœur de Betty battait la chamade. Elle espérait que c'était la guide qui revenait et non un de ces horribles gnomes. Ils étaient encore plus impressionnants depuis que le bonhomme Hiver avait doublé leur taille : ils arrivaient presque aux épaules des deux filles maintenant.

La porte s'ouvrit en grinçant. Les trois amies retinrent leur souffle.

C'était le gnome ! Et il était particulièrement effrayant avec son long nez rouge, ses oreilles pointues et son grand corps osseux. Il illuminait la pièce grâce à la plume qu'il agitait avec ardeur. Des éclairs crépitaient de tous côtés et des étincelles bleues jaillissaient des objets qu'ils atteignaient.

Esther enfouit son visage dans ses mains.

– Je ne veux pas voir ça, gémit-elle. Il est fou ou quoi ?

– Oh !

Rachel n'eut que le temps de s'accroupir pour éviter un éclair qui lui rasa la tête.

– Il faut l'arrêter ! souffla-t-elle.

– Qui a parlé ? s'écria le gnome. C'est toi, la fée ? Y a quelqu'un ?

Le cœur de Betty tambourinait dans sa poitrine. Elle était sûre que le gnome allait l'entendre. Il s'approcha en scrutant les ténèbres. Soudain, ses yeux rouges se fixèrent sur les deux filles. Un horrible sourire s'étala sur son visage.

– Alors, on m'espionnait?

Et il secoua violemment la plume dans leur direction.

– Baissez-vous ! cria Esther avant de disparaître dans le manteau de Betty.

Betty et Rachel se précipitèrent derrière un meuble : la foudre frappa le sol à quelques centimètres de leurs pieds. De la fumée s'éleva du parquet brûlé. Puis un éclair, touchant le plafond, forma un feu d'artifice de minuscules étincelles bleues. Il ne

fallait pas plaisanter avec les orages magiques!

– Qu'allons-nous faire? bredouilla Betty, livide de peur.

– Je ne sais pas, chuchota Rachel. Esther, tu n'aurais pas une idée?

La fée secoua la tête.

– Il tient la plume trop serré pour que je puisse la lui arracher par surprise.

Rachel se mordilla la lèvre.

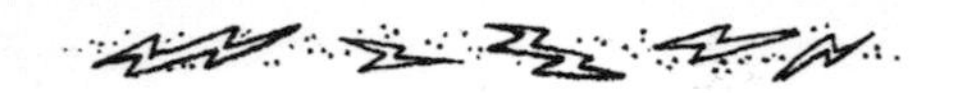

– Je vais essayer de le localiser.

Elle passa la tête hors de leur cachette au moment où le gnome arrivait !

– Je vous tiens ! jubila-t-il en brandissant de nouveau sa plume.

Rachel vit avec horreur un éclair fondre sur elle !

Elle recula d'un bond. La foudre roussit le bas de son manteau.

Esther s'envola précipitamment.

– Vite, transformez-vous en fées ! Vous serez plus difficiles à atteindre.

Les doigts de Betty tremblaient tellement qu'elle eut beaucoup de mal

à ouvrir son médaillon. La reine des fées en avait donné un à chacune des filles. Ils étaient remplis de poudre magique. Elle réussit enfin à en prendre une pincée et s'en aspergea. Aussitôt, elle se sentit rétrécir. Elle déplia ses ailes et fit une pirouette. C'était si amusant d'être une fée !

Rachel ressemblait à une géante, à côté d'elle.

– J'ai perdu mon médaillon !

– Oh ! Il est là-bas, par terre, près de la vitrine, s'écria Betty. Il a dû tomber quand nous nous sommes mises à l'abri.

Elle s'apprêtait à aller le chercher d'un coup d'ailes lorsque le gnome se rua sur Rachel, une lueur mauvaise dans le regard.

– Au secours, Esther ! hurla Rachel en l'esquivant. Je t'en prie, aide-nous !

La petite fée voulut la transformer d'un coup de baguette magique mais

le gnome envoyait des éclairs dans toutes les directions. Esther ne pouvait pas s'approcher d'elle. C'était trop dangereux !

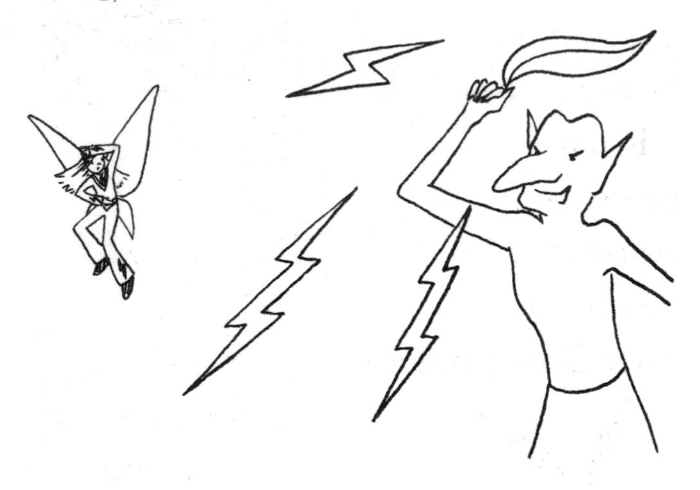

– Qu'est-ce que nous allons faire ? gémit Betty alors que Rachel s'engouffrait dans la salle voisine.

Elles la suivirent dans une grande pièce réservée aux insectes. Heureuse-

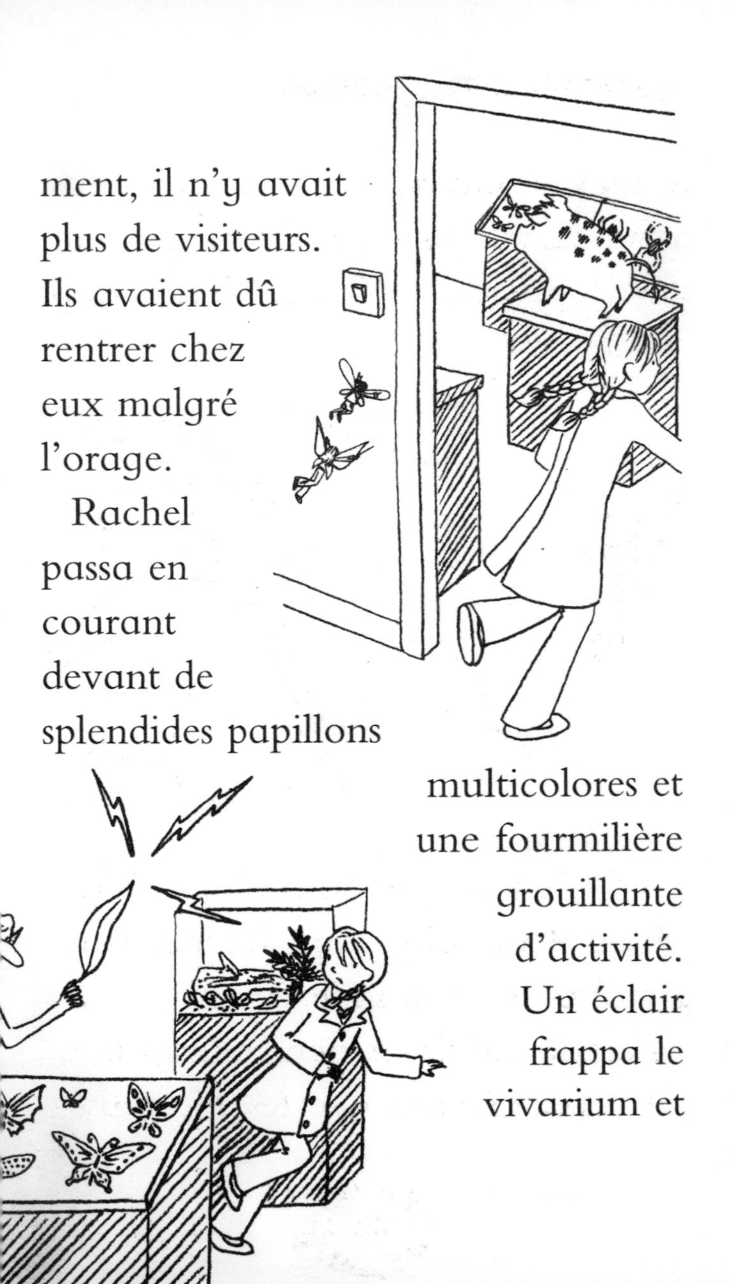

ment, il n'y avait plus de visiteurs. Ils avaient dû rentrer chez eux malgré l'orage.

Rachel passa en courant devant de splendides papillons multicolores et une fourmilière grouillante d'activité. Un éclair frappa le vivarium et

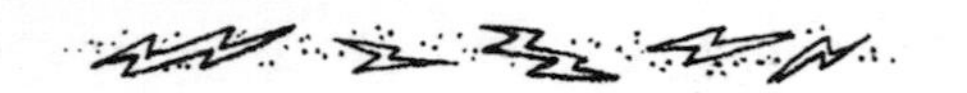

sema la pagaille parmi les ouvrières.

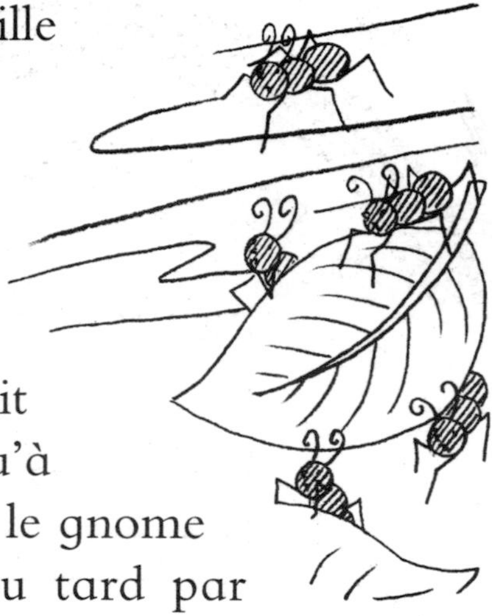

Betty trouvait que son amie s'en tirait très bien jusqu'à présent. Mais le gnome finirait tôt ou tard par l'attraper. Elle devait absolument l'aider.

Rachel repartit en courant vers la salle des dinosaures. Soudain, Betty aperçut un miroir accroché au mur. Cela lui donna une idée. Une idée complètement folle! Mais ça pouvait marcher!

Betty à la rescousse

– Si un éclair frappe cette glace, est-ce qu'elle se brisera ? demanda-t-elle à Esther.

– Non, les éclairs magiques ne sont pas comme les autres. Il rebondira sur le miroir.

– C'est parfait ! Je réserve une petite surprise au gnome. Prépare-toi à lui arracher la plume.

Justement, il était sur le point d'attraper Rachel par le manteau! Vite, Betty saisit à deux mains le bout de son oreille et tira de toutes ses forces.

– Aïe! Mais c'est quoi, ça?

Elle le lâcha et voleta devant le miroir.

– Coucou ! Je suis là ! le nargua-t-elle en agitant la main. Tu m'attraperas pas !

Il brandit sa plume vers elle.

– Tiens, petite impertinente, prends ça !

La foudre fonça sur Betty. Elle retint son souffle...

– Va-t'en ! hurla Rachel, terrifiée.

À la dernière seconde, Betty plongea. L'éclair percuta le miroir et, comme Esther l'avait prédit, ricocha... et fondit sur l'affreuse créature !

– Au secours !

Le gnome, terrorisé, voulut s'enfuir mais il trébucha à cause de ses grands pieds. Il s'étala de tout son long devant le dinosaure et… lâcha la plume !

Un tourbillon or et violet fendit l'espace. C'était Esther qui, en un clin

d'œil, saisit sa précieuse plume et remonta dans les airs, hors d'atteinte. Elle poussa un cri de triomphe.

– Bravo, Betty !

Le gnome, fou furieux, sauta pour l'attraper. Mais il la rata, perdit

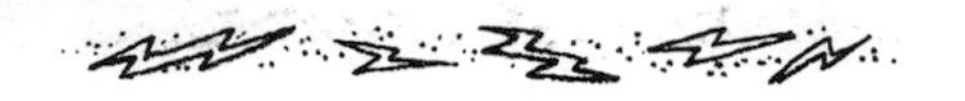

l'équilibre et bascula, la tête la première, dans le bassin du dinosaure au milieu des poissons en caoutchouc.

Avec un sourire espiègle, Esther pointa sa plume sur le tableau de commande. Une multitude d'éclairs

percuta les deux boutons. Rachel écarquilla les yeux de ravissement en voyant le dinosaure briller de mille paillettes et ouvrir sa gueule…

RRROOAAARRRRR !

Dans un rugissement épouvantable, le robot se pencha et saisit le gnome entre ses mâchoires !

L'avertissement de Cliquot

Rachel, Betty et Esther regardèrent, pétrifiées, le dinosaure se redresser, le gnome entre ses crocs.

– Repose-moi ! Lâche-moi ! criait l'affreuse créature en se tortillant.

Le robot suivit sa routine habituelle. Il renversa la tête en arrière, et BING,

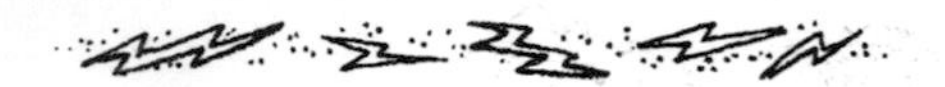

BANG, BOUM ! le gnome dégringola au fond de son ventre creux.

– Au secours ! Sortez-moi de là ! hurla-t-il en martelant le métal de ses poings.

Ravie, Betty s'arrosa d'une pincée de poudre magique. Dans une lueur éblouissante, elle sentit ses ailes se volatiliser, ses jambes s'étirer… enfin, elle retrouva sa taille normale.

Elle courut vers Rachel et la serra dans ses bras.

– Tu vas bien ? On a eu chaud, hein ?

– Oui, mais grâce à ton idée de génie, on a récupéré la sixième plume de Cliquot!

Esther rapporta son médaillon à Rachel.

– Dépêchons-nous de filer. J'entends le gnome qui remonte à l'intérieur du dinosaure.

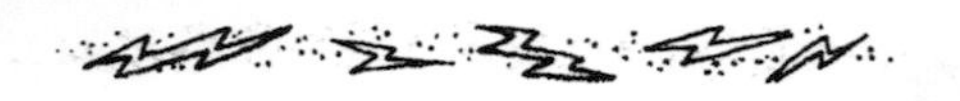

Rachel rattacha la chaînette autour de son cou pendant que les trois amies se dirigeaient vers la sortie du musée.

– Dire que j'ai raté l'occasion de me transformer en fée ! soupira-t-elle. Quel dommage ! Sinon, je me suis bien amusée… sauf quand j'ai failli être foudroyée, gloussa-t-elle.

Dans la rue, il ne pleuvait plus et les nuages se dissipaient. Les trottoirs humides luisaient sous le soleil.

Rachel poussa un cri en voyant le bas de son manteau.

– Oh, mon Dieu ! Il est brûlé !

Betty se pencha : le tissu était noirci et l'ourlet décousu.

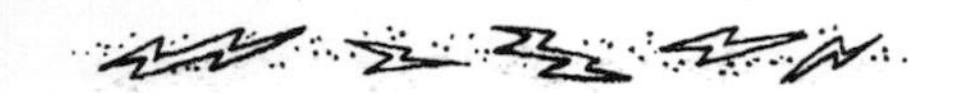

– Ma mère va être furieuse. Il devait me faire encore un hiver!

Esther voleta vers elle.

– Laisse-moi arranger ça.

La petite fée passa sa baguette le long de l'ourlet. Une traînée de paillettes se déposa sur le tissu qui se mit à briller d'un éclat aveuglant. Rachel ferma les yeux. Quand elle les rouvrit, son manteau était comme neuf.

– Oh, merci, Esther! Tu me sauves la vie!

– C'est moi qui vous remercie. Cliquot sera si content de récupérer une nouvelle plume !

Elles remontèrent la rue Tournicote. Arrivée chez les Tate, Betty indiqua à Esther l'endroit où se trouvait Cliquot.

La fée vola jusqu'au toit de la grange et se posa sur la vieille girouette. Les deux filles guettèrent la réaction du coq en retenant leur souffle. Qu'allait-il dire, cette fois ? À chaque plume, il tentait de leur transmettre un message mais il n'arrivait jamais à prononcer plus de deux mots. Ce qui donnait pour le moment : « Méfiez-vous, le bonhomme Hiver viendra si ses… »

Si ses quoi ?

Dès qu'Esther eut soigneusement replacé la plume à éclairs, le coq se para de couleurs flamboyantes. Il tourna la tête vers les filles et ouvrit le bec :

– … gnomes échouent ! caqueta-t-il précipitamment.

Et en un clin d'œil, il redevint une girouette rouillée.

Rachel et Betty se dévisagèrent, consternées.

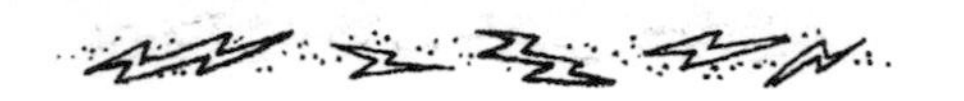

– « Méfiez-vous ! Le bonhomme Hiver viendra si ses gnomes échouent ! » gémirent-elles d'une seule voix.

Esther semblait inquiète, elle aussi.

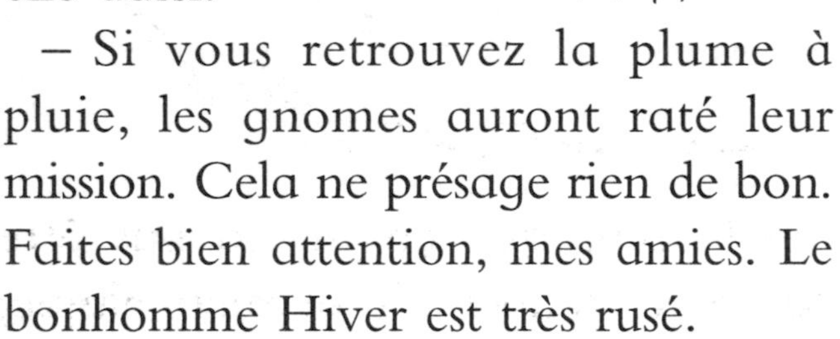

– Si vous retrouvez la plume à pluie, les gnomes auront raté leur mission. Cela ne présage rien de bon. Faites bien attention, mes amies. Le bonhomme Hiver est très rusé.

– À qui le dis-tu ! grommela Betty en se mordillant la lèvre. Mais ne t'inquiète pas, Esther, nous serons très prudentes.

Betty et Rachel embrassèrent la fée. Elles la regardèrent s'éloigner jusqu'à ce qu'elle ne soit plus qu'un petit point violet sur l'horizon.

– Je sens que ça ne va pas être facile de récupérer la dernière plume, soupira Rachel.

– Et si nous y arrivons, il nous faudra affronter le terrible bonhomme Hiver, marmonna Betty.

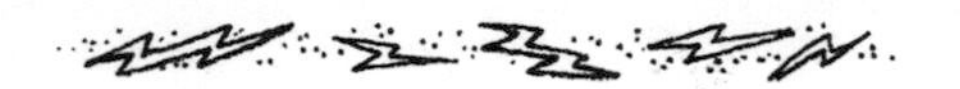

Soudain, un sourire illumina son visage.

– Mais nous avons toujours été plus malignes que lui, non ? Y a pas de raison que ça change !

Rachel éclata de rire.

– Bien parlé ! Alors méfie-toi aussi, bonhomme Hiver ! Nous t'attendons de pied ferme ! s'écria-t-elle.

Table des matières

L'ARC-EN-CIEL magique

LES FÉES DU CIEL

Marion, Alizé, Morgane, Aurore, Perle et Esther ont enfin retrouvé leurs plumes magiques.

À présent, Rachel et Betty doivent aider

Lucie, la fée de la pluie

Des livres plein les poches, POCKET jeunesse des histoires plein la tête

L'ARC-EN-CIEL magique

LES FÉES DU CIEL

Retrouve vite Rachel et Betty
avec un extrait de

Perle,
la fée des brumes

Des livres plein les poches,

des histoires plein la tête

Un matin brumeux

Betty se leva d'un bond et secoua son amie Rachel qui dormait dans le lit voisin.

– Debout, marmotte !

Rachel passait une semaine de vacances chez les Tate, à Martimpré. Elle s'étira et ouvrit les yeux.

– J'ai encore rêvé de Cliquot. Il y avait en même temps un soleil radieux et une tempête de neige au pays des Fées et il ne savait plus où donner de la tête.

Il fallait dire que, depuis cinq jours, les deux filles pensaient beaucoup à lui.

C'était ce coq qui, chaque matin, grâce à ses sept plumes enchantées, contrôlait le climat, aidé des sept fées du ciel. Ce système avait parfaitement fonctionné jusqu'au jour où le méchant bonhomme Hiver avait envoyé ses gnomes lui voler ses plumes. Cliquot les avait poursuivis dans le monde des humains. Mais, privé de ses pouvoirs, il s'était transformé en une vulgaire girouette toute rouillée !

Et, depuis, la météo était complètement détraquée, chez les fées comme chez les hommes.

– Pauvre Cliquot ! soupira Betty en observant le toit où il était perché.

Son père l'avait trouvé dans le parc et l'avait fixé sur sa grange, sans se douter qu'il s'agissait d'un coq magicien.

– Nous avons déjà récupéré quatre plumes. Il ne lui en manque donc plus que trois. Avec un peu de chance, nous en dénicherons une autre aujourd'hui.

– J'espère bien, opina Rachel, avec un grand sourire. Surtout que je dois rentrer chez moi dans trois jours. Il ne nous reste plus beaucoup de temps.

Alors qu'elle contemplait le ciel bleu, un mince filet de brume attira son attention.

– Regarde ce nuage ! Il a la forme d'une plume !

Betty tourna la tête dans la direction qu'elle indiquait.

– Je ne vois rien.

Rachel plissa les yeux : il avait disparu.

– J'ai dû rêver, dit-elle en allant s'habiller.

En tout cas, cette apparition lui semblait un heureux présage.

Rachel adorait être chez Betty. Les deux filles s'étaient rencontrées pendant les vacances d'été, sur l'île de Magipluie. C'est là qu'elles avaient

aidé leurs minuscules amies pour la première fois. Le bonhomme Hiver avait banni les fées de l'Arc-en-Ciel de leur royaume, et Rachel et Betty avaient réussi à les y ramener saines et sauves.

Elles entrèrent dans la cuisine. M. Tate était assis à la table.

– Avez-vous bien dormi ? leur demanda-t-il.

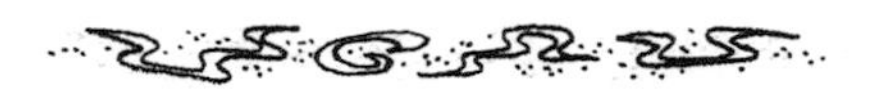

– Oui, répondit Rachel en s'approchant pour déchiffrer le prospectus qu'il était en train de lire.

– Il ne faut pas rater ça, déclara M. Tate. Surtout que maman y participe, Betty. Nous irons tous l'encourager.

Les deux filles acquiescèrent gaiement.

« Peut-être que nous croiserons des gnomes en chemin », songea Rachel, à la fois contente et inquiète.

Non seulement ces petits êtres difformes étaient méchants, mais en plus, le bonhomme Hiver avait doublé leur taille. Heureusement, d'après une loi du pays des Fées, rien ne pouvait être plus haut que le palais enchanté du roi Obéron et de la reine Titania. N'empêche qu'ils arrivaient quand même à l'épaule des deux filles.

M. Tate finit son café et repoussa sa chaise.

– Je vais chercher mamie pour l'emmener voir la course. On se retrouvera là-bas.

– D'accord, papa. À tout à l'heure!

Mme Tate apparut à son tour, habillée en tenue de sport : short, tee-shirt et baskets.

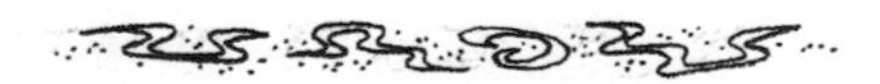

– Désolée, je n'ai pas le temps de m'occuper de vous, les filles. J'ai promis d'aider à flécher le parcours.

– Ce n'est pas grave, maman. Dépêche-toi.

– Nous viendrons vous encourager, promit Rachel.

– Alors à plus tard !

Un quart d'heure après, Rachel et Betty se mirent en route.

– Si on passait par la rivière ? suggéra Betty. Le chemin est un peu plus long mais beaucoup plus joli.

– Oh, oui ! Nous verrons peut-être des canetons.

Elles remontèrent la rue Tournicote sous un grand soleil. Puis elles se diri-

gèrent vers le bord de la rivière où des vaches broutaient joyeusement l'herbe couverte de boutons-d'or.

Rachel aperçut de la vapeur au-dessus de l'eau.

– Regarde ! Ça ne serait pas du brouillard magique ?

– Je ne sais pas. Il y a souvent de la brume le matin par ici.

– Oui, c'est vrai, soupira Rachel, déçue.

Mais elle retrouva toute sa gaieté en apercevant un couple de cygnes suivis de leurs trois petits, puis des libellules aux ailes de tulle qui voletaient dans les roseaux.

– Quelle belle journée ! s'exclama-t-elle.

Alors qu'elles arrivaient au Bois-Joli, Betty ralentit le pas – quelque chose scintillait sur une branche. On aurait

cru un lambeau de châle argenté qui brillait doucement sous le soleil.

– Qu'est-ce que c'est ? demanda-t-elle à Rachel.

– Je ne sais pas, mais c'est magnifique ! On dirait les cheveux d'ange qu'on met sur les sapins de Noël.

Elles s'approchèrent.

Betty toucha les étranges fils grisés qui fondirent sous ses doigts.

– Oh, c'est glacé! murmura-t-elle en se frottant les mains.

Rachel se pencha pour les examiner de plus près. Ils étaient saupoudrés de petites paillettes.

– Je suis sûre que c'est de la brume magique! chuchota-t-elle.

– Tu as raison.

Betty lui montra au loin de gros chênes qui disparaissaient petit à petit dans le brouillard.

– Il y en a plein là-bas. Viens vite!

Les deux amies s'enfoncèrent dans la forêt. Une vapeur argentée enveloppait les arbres et tapissait le sol de fines gouttelettes. La moindre brindille, la moindre feuille, la moindre herbe scintillait. Et là où la végétation laissait passer le soleil, des milliers

de petits diamants brillaient de toutes les couleurs de l'arc-en-ciel.

Betty et Rachel, bouche bée, contemplèrent le spectacle. Elles se seraient crues au pays des Fées !

Lentement, elles s'avancèrent. Au bout de quelques pas, Rachel s'arrêta car elle ne distinguait presque plus rien.

– Le brouillard devient de plus en plus épais. Le gnome qui a volé la plume à brume ne doit pas être bien loin.

– Si ça se trouve, il est juste à côté de nous, frissonna Betty en se frottant les bras.

[...]

Découvre vite les autres fées du ciel,
dans la collection

LES FÉES DU CIEL

1. Marion, la fée des flocons
2. Alizé, la fée du vent
3. Morgane, la fée des nuages
4. Aurore, la fée du soleil
5. Perle, la fée des brumes
6. Esther, la fée des éclairs
7. Lucie, la fée de la pluie

Des livres plein les poches, POCKET jeunesse des histoires plein la tête

Retrouve dans la même collection :

LES FÉES DE L'ARC-EN-CIEL

1. Garance, la fée rouge
2. Clémentine, la fée orange
3. Ambre, la fée jaune
4. Fougère, la fée verte
5. Marine, la fée bleue
6. Violine, la fée indigo
7. Lilas, la fée mauve

Des livres plein les poches, POCKET jeunesse des histoires plein la tête

Et aussi :

LES FÉES DE LA FÊTE

1. Margaux, la fée des gâteaux
2. Angélique, la fée de la musique
3. Juliette, la fée des paillettes
4. Manon, la fée des bonbons
5. Anaïs, la fée des jeux
6. Prune, la fée des costumes
7. Élise, la fée des surprises

HORS-SÉRIES

Clémence, la fée des vacances

Gaëlle, la fée de Noël

Stella, la fée des étoiles

Des livres plein les poches, POCKET jeunesse des histoires plein la tête

Retrouve

tes héros préférés

et gagne

des cadeaux sur

www.pocketjeunesse.fr

- toutes les infos sur tes livres et tes héros préférés
- des jeux-concours pour gagner des livres et plein d'autres cadeaux
- une newsletter pour tout savoir avant tes amis

Composition : Francisco *Compo*
61290 Longny-au-Perche

Impression réalisée sur Presse Offset par

La Flèche (Sarthe), le 21-04-2008
N° d'impression : 45999

Dépôt légal : mai 2008

Imprimé en France

12, avenue d'Italie
75627 PARIS Cedex 13